PAUSE LECTURE FACILE

Top secret

Niveau **1 – A1**

DOMINIQUE RENAUD

Direction de la production éditoriale : Béatrice Rego - Édition : Élisabeth Fersen - Marketing : Thierry Lucas - Conception graphique et mise en page : Miz'enpage - Illustrations : Olivier le Discot - Recherche iconographique : Danièle Portaz - Enregistrements : Vincent Bund

Photos : PHB.cz / FOTOLIA - Crobard / FOTOLIA - © Roland Oziel / http://www.photo-vendee.com - © Puy du Fou - © Jacek Kozyra / FOTOLIA - Pavel L Photo and Video / SHUTTERSTOCK

CLE International / SEJER 2013 - ISBN : 978-2-09-03-1344-4

Sommaire

Présentation

Genre policier

Résumé Des collégiens belges font un voyage de trois jours en France pour visiter le parc de loisirs du Puy-du-Fou. Dans la chambre de l'hôtel, Mattéo et ses amis vont faire une étrange découverte.

Thèmes Le voyage scolaire – les spectacles – les parcs de loisirs – les vacances – l'amitié – l'espionnage

Les personnages

Mattéo

Il a 12 ans. Il habite Bruxelles. Dans la chambre de l'hôtel, il trouve un curieux objet.

Roxane

C'est la meilleure amie de Mattéo. Elle a aussi 12 ans.

Les frères de Voos et Khalil

Ce sont les copains de Mattéo.

1. Lis le titre et regarde l'image. D'après toi, c'est une histoire...

a. sentimentale. ....❏

b. policière. ....❏

c. vraie. ....❏

2. Le parc du Puy-du-Fou se trouve en Vendée. Regarde une carte de France et coche.

a. Où se trouve la Vendée ?

1. Près de la mer. ❏

2. Près de Paris. ❏

3. Près de la Belgique. ❏

b. La Vendée, c'est...

1. une île. ❏

2. une région. ❏

3. un département. ❏

3. Les enfants vivent en Belgique. Que sais-tu sur la Belgique ? Réponds.

a. Quelle est sa capitale ?...

b. En Belgique, il y a trois langues officielles. Lesquelles ?

Le néerlandais, le .... et l'...............................

4. Madame Hergé, le professeur de français, a le même nom que le créateur d'un personnage de BD célèbre, lequel ? Coche.

a. Astérix. ....❏

b. Tintin. ....❏

c. Lucky Luke. ....❏

CHAPITRE UN

Une rue de Bruxelles, un vendredi matin. 7 h 30. Une voiture grise s'arrête devant le collège *Les Tournesols*.

– Alors, tu me téléphones, d'accord ? Ou tu écris un SMS.

– Ouiii, maman !

– Dans la valise[1], il y a tes vêtements, une paire de chaussures et ta trousse de toilette[2]. Dans le sac à dos, ton portable, ton cahier, des stylos et un livre. Tu as ton porte-monnaie[3] ?

– Il est là, dans ma veste.

– Tu gardes bien ton porte-monnaie et ton portable dans ta poche.

– Maman ! Depuis hier soir, tu dis la même chose. Tu sais, j'ai douze ans, je suis un grand garçon !

– Peut-être... mais c'est le troisième portable que j'achète et le deuxième porte-monnaie !

– Maman ! C'est un voyage organisé, ce n'est pas un match de foot ! Il y a des professeurs, des accompagnateurs... Et puis, je reviens à la maison dimanche, ce n'est pas long.

– Pas long ? Trois jours !

Maman est toujours inquiète[4].

Ce matin, rendez-vous devant l'école à huit heures. Nous arrivons à sept heures trente. Nous sommes les premiers. Nous partons en France. Direction : le Puy-du-Fou. Vous connaissez le Puy-du-Fou ? C'est un parc qui montre aux visiteurs l'his-

---

1. Une valise :
2. Une trousse de toilette : trousse où on met sa brosse à dents, son dentifrice, son parfum...
3. Un porte-monnaie :
4. Inquiet : préoccupé.

toire, la culture et le folklore local. Il est situé en Vendée, un département français, à trois cent cinquante kilomètres de Paris. 7 h 45. Le car arrive. Le chauffeur se gare sur le parking, en face de l'école. C'est un grand car de soixante places.

Les élèves sont là, avec les parents. Devant le car, il y a maintenant cent personnes.

– Qui c'est, le grand brun ? demande ma mère.

– Quel grand brun ?

– Le monsieur devant nous, avec la barbe.

– C'est le prof d'histoire, monsieur Lambert. Il vient avec nous.

– Il est sympa ?

– Oui, très.

– S'il vous plaît !

C'est madame Hergé, la prof de français.

– Nous allons faire l'appel. Le chauffeur du car prend vos valises, mais vous gardez votre sac à dos avec vous.

– Bon, maman, salut. Je t'appelle de l'hôtel.

Je me présente : je m'appelle Mattéo et je vis à Bruxelles. Je mesure 1,65 m, je suis blond, j'ai les yeux marron. Je fais de la natation. J'aime l'anglais, les maths, la géographie et... j'adore l'histoire.

Notre classe de première secondaire[5] va faire le voyage. En tout, vingt-trois élèves. Mes copains et mes copines sont là, c'est super ! Il y a d'abord Roxane : c'est ma meilleure amie. C'est une fille brune aux yeux bleus. En classe, dans la cour, on est toujours ensemble. Elle lit beaucoup. Elle adore les romans policiers.

Il y a aussi les frères de Voos : ce sont des jumeaux. Ils font

---

5. Première secondaire : (système éducatif belge) correspond à la 5e, en France.

de la musique. Théo fait du piano, Léo de la guitare.
Enfin il y a Khalil. Il vient du Congo. Il vit en Belgique depuis
cinq ans. Il parle très bien le français et il a une passion : la
photographie.
Nous montons dans le car. Je m'installe avec mes amis. Nous
partons. 650 kilomètres d'autoroute. Je dis au revoir à ma mère.
Le professeur d'histoire vient vers nous.
– Bonjour les enfants ! Un peu de silence, s'il vous plaît. Le
voyage est long. Vous pouvez écouter de la musique avec vos
écouteurs mais il est interdit de manger dans le car.
Puis monsieur Lambert regarde sa montre et ajoute :
– Il est 8 h 30. On s'arrête vers midi pour déjeuner. Bon
voyage à tous.

Ⅱ Activités chapitre un

1. Réponds aux questions.

a. Comment s'appelle le collège des élèves ? ....

b. C'est quel jour de la semaine ? ....

c. Qui est monsieur Lambert ? ....

d. Le départ est à quelle heure ? ....

2. Vrai ou faux ? Coche.

	VRAI	FAUX
a Mattéo arrive à 8 h devant l'école.	❏	❏
b. Sa mère fait le voyage avec lui.	❏	❏
c. L'école est à Bruxelles.	❏	❏
d. Mattéo adore l'histoire.	❏	❏
e. Mattéo est le frère de Roxane.	❏	❏

3. Mattéo. Complète le texte avec :

Bruxelles - blond – les yeux – douze – fais – mesure

J'ai .... ans. Je suis .... Je vis à .... Je ....
.... 1,65 m. J'ai .... marron. Je .... de la natation.

4. Qui fait quoi ? Relie.

a. Khalil   •   •   1. fait de la guitare.

b. Roxane   •   •   2. fait du piano.

c. Théo   •   •   3. lit beaucoup.

d. Léo   •   •   4. fait de la photographie.

5. À la fin du chapitre, monsieur Lambert parle aux élèves. Qu'est-ce qu'il dit ? Entoure la bonne réponse.

a. Le voyage   *n'est pas long*   *est long.*

b. Il est interdit de   *manger*   *parler* dans le car.

c. Vous pouvez   *écouter de la musique*   *téléphoner.*

d. On s'arrête pour   *le pique-nique*   *dormir.*

6. Khalil. Réponds.

a. Son physique : ....

b. Il vient d'où ? ....

c. Il vit où ? ....

d. Qu'est-ce qu'il aime ? ....

7. Trouve, dans le texte, le contraire des mots suivants.

a. court : ....

b. soir : ....

c. dernier : ....

d. beaucoup : ....

CHAPITRE DEUX

16 h 15. Le car s'arrête sur le parking de l'hôtel. Il y a beaucoup de cars et de voitures. Les Français sont en vacances. Les étrangers aussi. Des Japonais, des Allemands...
Huit heures d'autoroute, avec la pause déjeuner, c'est long !
Mattéo est fatigué, Roxane a mal à la tête, mais Khalil est en forme.
L'hôtel est situé à 500 m du parc. Il a soixante chambres.
- Comment ça va, Roxane ? demande Khalil.
- J'ai toujours mal à la tête, mais ça va.
- Je prends ton sac, si tu veux ?
- Merci, c'est gentil.
Une jeune femme vient vers le groupe. Elle a les cheveux châtain et porte des lunettes de soleil.
- Bonjour tout le monde ! Je m'appelle Aurélie. Je suis votre guide touristique. Vous allez faire les visites avec moi. Mais pour le moment, je vous souhaite une bonne installation.
- Merci !
Toute la classe est dans le hall de l'hôtel. Monsieur Lambert parle aux élèves des chambres, des clés[1] et des règles à res-pecter.
- Nous sommes au premier étage, dit-il. Ce sont des chambres pour quatre personnes. Les numéros pairs sont pour les filles, les numéros impairs pour les garçons. Bon : il est 16 h 30. À 17 h 30, on se retrouve[2] ici. Nous allons voir un beau spectacle avec Aurélie. Retour à 19 h 30. Dîner à 20 h.
Les frères de Voos, Khalil et Mattéo sont ensemble, dans la

1. Une clé :
2. Se retrouver : se réunir.

chambre 17. Roxane est en face, chambre 16. Mattéo ouvre la porte avec une carte magnétique. Les garçons posent les sacs et les valises et visitent la chambre. Il y a quatre lits individuels, un bureau[3], une armoire, une salle de bains avec douche, W-C et lavabo.

– C'est super, ici !

– Tu prends quel lit ? demande Théo à son frère.

– Le lit près de la fenêtre.

Mattéo, lui, choisit le lit à côté du bureau. Il prend son sac à dos, sort son cahier, son livre... et zut[4] ! son stylo tombe par terre.

– Tiens, dit Mattéo, c'est quoi, ça ?

Entre le pied du lit et le bureau, il y a un petit objet.

– Eh, regardez !

Mattéo montre l'objet à ses amis. C'est une petite boîte ronde en plastique.

– Qu'est-ce que c'est ?

– Je ne sais pas.

Khalil prend l'objet, regarde puis il ouvre la boîte...

– Alors ? demande Théo.

– Un microfilm, dit Khalil.

– Un microfilm ?

– Oui. C'est pour stocker des photos, des mini-photographies.

Au même instant, on frappe à la porte.

– Entrez !

C'est Roxane.

– Comment ça va ?

– Très bien. L'hôtel est super mais... nous avons un petit problème...

3. Un bureau : table de travail.

4. Zut ! (fam.) : mot qui exprime la contrariété.

– Ah oui ? Qu'est-ce qui se passe ?

Mattéo montre la boîte à Roxane.

– Tu sais ce que c'est ?

– Oui. C'est un microfilm. Et c'est quoi, ton problème ?

– Qu'est-ce que je fais avec ce microfilm ?

– Imagine... tu es policier. Qu'est-ce que tu fais ?

– Je regarde les photos qu'il y a dessus !

Mattéo va vers la fenêtre de la chambre. Avec la lumière du jour, il peut voir les photos en noir et blanc.

– Regardez ! Il y a des lettres et des numéros : ODF 851706, un plan et des photos du Puy-du-Fou. Oh ! Et là, il y a deux mots : Top Secret !

(II) Activités chapitre deux

1. Réponds aux questions. Que font les élèves à...

a. 16 h 30 ? ....

b. 17 h 30 ? ....

c. 19 h 30 ? ....

d. 20 h ? ....

2. Regarde les deux dessins. Décris la chambre et la salle de bains des garçons.

a. Dans la chambre, il y a ....

....

b. Dans la salle de bains, il y a ....

....

3. Vrai ou faux ? Coche.

	VRAI	FAUX
a Dans la chambre, Mattéo fait une découverte.	❑	❑
b. Khalil dit à Mattéo : « C'est un microfilm ».	❑	❑
c. Roxane ne sait pas ce que c'est.	❑	❑
d. Dans le chapitre deux, il y a le titre du livre.	❑	❑

4. L'hôtel. Réponds aux questions.

a. Il est loin du parc ? ....

b. Combien il a de chambres ? ....

c. Où se trouvent les chambres des collégiens ? ....

d. Les chambres sont pour combien de personnes ? ....

5. Retrouve l'ordre des événements du chapitre deux.
Mets un numéro en face de chaque phrase.

a. Mattéo ouvre la porte avec une carte magnétique.

b. Le car du collège s'arrête sur le parking de l'hôtel.

c. La classe est devant l'entrée de l'hôtel, les valises à la main.

d. Mattéo montre l'objet à ses amis.

e. Mattéo trouve un petit objet.

f. Mattéo montre sa découverte à Roxane.

6. Écris en lettres...

a. les heures

1. 16 h 15 : ....

2. 20 h : ....

a. les numéros

1. 06 : ....

2. 17 : ....

3. 85 : ....

CHAPITRE TROIS

17 h 30. Les élèves sont dans le hall de l'hôtel. Aurélie, le guide du Puy-du-Fou, est là. Les professeurs aussi.

- Nous allons voir un spectacle magnifique, dit-elle : *Les mousquetaires[1] de Richelieu.* L'action se passe au XVIIe siècle. Un livre célèbre parle des mousquetaires... vous connaissez l'auteur ?

- Alexandre Dumas, madame ! dit Théo.

- Très bien. Bon, vous êtes prêts ?

- Oui ! répondent les élèves avec enthousiame.

Une demi-heure plus tard, les élèves entrent dans le théâtre du Grand Carrousel. C'est un très grand théâtre de trois mille places, avec une scène de 2 000 m^2.

Le rideau[2] s'ouvre. Le spectacle va commencer.

- Tu as le microfilm ? demande Mattéo à Roxane.

- Oui, dans ma poche.

- Qu'est-ce qu'on va faire ?

- Rien[3]... pour le moment !

Une jeune femme s'installe à côté de Mattéo. Elle est brune, elle a les cheveux courts. Elle porte un blouson, un jean et des baskets.

- Vous êtes français ? demande-t-elle à Mattéo.

La jeune femme est étrangère. Elle parle bien, mais elle a un petit accent.

- Non. Je suis belge. Je suis avec ma classe.

- Vous connaissez le Puy-du-Fou ?

---

1. Un mousquetaire : cavalier de la maison du roi, en France, au XVIIe et au XVIIIe siècle.
2. Un rideau :
3. Rien : pas une seule chose.

– Non. C'est la première fois que nous visitons le Parc.

– Moi, c'est la deuxième fois. C'est un parc magnifique ! Vous restez longtemps ici ?

– Le week-end. Nous repartons dimanche matin.

Le spectacle commence. Les mousquetaires arrivent sur la scène, des hommes sont à cheval, des femmes dansent. Elles portent de très belles robes.

Pendant quarante minutes, de la musique, de la danse, des combats à l'épée[4]. C'est merveilleux !

C'est la fin du spectacle.

– Quelle heure est-il ?

– 19 h 05.

– Où est-ce qu'on va maintenant ?

4. Une épée : 🗡

- À l'hôtel, dit monsieur Lambert.

La classe sort du théâtre. Les élèves n'ont pas envie d'aller à l'hôtel.

- On ne peut pas faire un pique-nique ? demande Roxane au professeur d'histoire.

- Le pique-nique, c'est demain. Ce soir, nous dînons au restaurant de l'hôtel.

Un quart d'heure plus tard, la classe arrive devant l'entrée.

- Vous allez dans les chambres. Rendez-vous dans dix minutes devant l'entrée du restaurant. D'accord ?

- D'accord.

- Tu as la carte magnétique ? demande Khalil à Mattéo.

- Elle est dans mon porte-monnaie.

Mattéo regarde dans son sac à dos.

- Je ne trouve pas mon porte-monnaie ! Ooooh... il est où ?

- Regarde bien, dit Roxane.

Mattéo regarde à nouveau. Pas de porte-monnaie !

- Vite ! Montons dans la chambre !

- Mais, tu n'as pas la carte !

Mattéo appelle un garçon de l'hôtel.

- Monsieur, monsieur ! Vous pouvez venir, s'il vous plaît !

Ils montent au premier étage. L'homme ouvre la porte avec sa carte personnelle. Et là...

- Qu'est-ce que c'est que... ?

Les vêtements, les sacs, les valises des garçons sont par terre... les lits sont défaits. Une horreur !

Monsieur Lambert arrive alors dans la chambre. Ils regardent les garçons, furieux.

- C'est qui, le responsable ?

- Heu... je crois que... c'est moi ! répond Mattéo.

⚫ Activités chapitre trois

1. Le spectacle. Réponds aux questions.

a. En plus des professeurs, qui accompagne les jeunes au théâtre ?

....

b. Combien de personnes peuvent assister au spectacle ?

....

c. Comment s'appelle le spectacle que les élèves vont voir ? ....

....

d. L'action se passe à quelle époque ?...

....

e. Qui est Alexandre Dumas ? ....

....

2. La jeune femme au théâtre. Oui ? Non ?
Réponds. Fais une phrase.

Une jeune femme s'installe à côté de Mattéo.

a. Elle est blonde ? ....

b. Elle a les cheveux longs ? ....

c. Elle porte un blouson ? ....

d. Elle a des bottes ? ....

e. Elle est étrangère ? ....

f. Elle visite le parc pour la 1ère fois ? ....

3. Après le spectacle. Vrai ou faux ? Coche.

	VRAI	FAUX
a. 19 h 05. Les élèves vont faire un pique-nique.	❏	❏
b. Mattéo ne trouve pas son porte-monnaie.	❏	❏
c. Mattéo appelle le directeur de l'hôtel.	❏	❏
d. Dans la chambre, tout est impeccable.	❏	❏
e. Mattéo dit : « C'est moi le responsable ».	❏	❏

4. Dans la grille, trouve cinq mots du texte qui ont une relation avec le théâtre.

D	X	E	R	A	S	L	P
A	T	P	G	B	C	T	L
N	E	R	I	D	E	A	U
S	A	E	P	O	N	O	I
E	P	L	A	C	E	S	B
B	S	A	I	D	J	A	U
R	O	B	E	S	Z	L	X
A	J	Z	U	I	X	E	A

5. Relie les mots qui vont ensemble.

a. théâtre	• •	1. musique
b. combat	• •	2. place
c. danse	• •	3. argent
d. carte magnétique	• •	4. chambre
e. porte-monnaie	• •	5. épée

CHAPITRE QUATRE

Les collégiens sont dans la chambre : les frères de Voos, Khalil, Mattéo et Roxane. Le directeur de l'hôtel, monsieur Michel, est là, monsieur Lambert et madame Hergé aussi. Monsieur Lambert est en colère[1].

– Mais enfin... qu'est-ce qui se passe ici ?

– Je ne sais pas, monsieur, répond Khalil.

Monsieur Lambert regarde Théo.

– Et toi ?

– Je ne comprends pas.

– Qu'est-ce que tu ne comprends pas ?

– Eh bien... ça ! dit-il. Nous laissons une chambre impeccable et, après le spectacle... vous voyez, c'est un vrai désastre !

– Je veux une explication, dit monsieur Lambert d'un ton sévère.

– Voilà..., commence Mattéo. Euh... je n'ai plus mon porte-monnaie ni ma carte magnétique, c'est pour ça que...

– Quelle relation il y a entre ton porte-monnaie et l'état de la chambre ? crie monsieur Lambert. Tu te moques de moi[2] !

– Il y a un rapport, monsieur, dit Roxane puis elle demande à Mattéo : tu te souviens[3] de la dame assise à côté de toi, au spectacle ?

– Oui. Très bien. Une jeune femme brune, cheveux courts, assez grande...

– Le porte-monnaie... c'est elle !

Monsieur Lambert regarde la jeune fille, exaspéré.

1. En colère : furieux.

2. Se moquer de quelqu'un : rire de quelqu'un.

3. Se souvenir : avoir à la mémoire.

- Ça suffit, Roxane ! Je peux avoir une véritable explication ?
Mais Roxane ne répond pas et dit au directeur de l'hôtel :
- Monsieur, vous connaissez le nom de l'occupant de la chambre 17, juste avant notre arrivée, c'est très important... ?
- Attendez un instant...
Le directeur prend son portable et fait le numéro de la réception.
- Oui, j'écoute...
- Allô, Cédric. Pouvez-vous me donner le numéro du client de la chambre 17, s'il vous plaît ? Le client d'hier...
- Oui, tout de suite, monsieur... Euh... c'est un homme. Il s'appelle Richard Resnik.

- Pas de femme ?
- Si... madame Laura Resnik.
- Pouvez-vous me décrire la dame ?
- Grande. Brune. Les cheveux courts.
- C'est elle ! dit Mattéo.
- Qu'est-ce que tu veux dire, Mattéo ? demande monsieur Lambert, fatigué de tout ça.
- C'est simple, dit Khalil, voici la scène : le spectacle des *Mousquetaires de Richelieu* va commencer : une dame s'assoit à côté de Mattéo. C'est Laura Resnik, la cliente de la chambre 17, notre chambre maintenant. Elle parle à Mattéo puis... pendant le spectacle, elle vole[4] son porte-monnaie et prend la carte magnétique. À la fin du spectacle, elle sort vite de la salle pour arriver la première à l'hôtel et... entrer dans la chambre pour chercher...
- Pourquoi la dame va faire ça ? demande monsieur Lambert.
- Parce que madame Resnik est un agent secret, dit Roxane.
- Agent secret ? s'exclame monsieur Lambert. Arrête de dire des bêtises[5], Roxane, s'il te plaît !
- Mais c'est la vérité, monsieur.
Mattéo regarde Roxane. Il fait un signe de la tête. La jeune fille ouvre sa main et montre un petit objet au professeur.
- Qu'est-ce que c'est ? demande monsieur Lambert.
- Un microfilm !

4. Voler : prendre à quelqu'un une chose qui lui appartient sans sa permission.
5. Une bêtise : une chose stupide.

1. Dans la chambre de l'hôtel. Coche la bonne réponse.

a. Combien de personnes sont dans la chambre ?

1. Cinq. ....❏

2. Sept. ....❏

3. Huit. ....❏

b. Le professeur d'histoire est en colère. Pourquoi ?

1. Mattéo n'a pas son porte-monnaie. ....❏

2. La chambre est en désordre. ....❏

3. La chambre est sale. ....❏

c. Que dit Roxane à Mattéo ?

1. « Tu te souviens de la fin du spectacle ? » ....❏

2. « Tu te souviens de la dame près de moi ? » ....❏

3. « Tu te souviens de la dame à côté de toi » ? ....❏

d. Pourquoi le directeur de l'hôtel appelle la réception ?

1. Il veut connaître le nom du client de la chambre 17. ....❏

2. Il veut appeler la police. ....❏

3. Il demande une personne pour mettre la chambre en bon état. ....❏

2. Réponds aux questions.

a. Qui est monsieur Michel ?

....

b. Comment s'appelle le réceptionniste ?

....

c. Qui est Laura Resnik ?

....

d. Comment s'appelle son mari ?

....

3. Que se passe-t-il au théâtre ? Remets les phrases dans l'ordre.

a. Elle parle à Mattéo. ☐

b. Le spectacle va commencer. ☐

c. Une dame s'assoit à côté de Mattéo. ☐

d. Elle sort de la salle. ☐

e. Elle vole son porte-monnaie. ☐

4. Monsieur Lambert parle à qui ? Réponds.

a. « Arrête de dire des bêtises ! »...

b. « Qu'est-ce que tu veux dire ? »...

c. « Ça suffit, je peux avoir une véritable explication ! ».............................

d. « Qu'est-ce que tu ne comprends pas ? »...

e. « Tu te moques de moi ! »..

5. Qui parle ? Réponds.

a. « C'est un homme. Il s'appelle Richard Resnik. »

....

b. « Pouvez-vous me donner le nom du client de la chambre 17... »

....

c. « Qu'est-ce qui se passe ici ? »

....

d. « Je ne sais pas, monsieur. »

....

e. « Attendez un instant... »

....

6. Roxane dit que Laura Resnik est un agent secret. À la fin du chapitre, est-ce que M. Lambert croit la jeune fille ? Pourquoi ?

....

CHAPITRE CINQ

22 h 15. La classe du collège *Les Tournesols* attend le début du spectacle *Les Orgues de feu*. Les élèves sont impatients. Il commence à faire nuit. *Les Orgues de feu* est un spectacle nocturne sur l'eau, avec des danseurs et des musiciens, une histoire d'amour musicale entre un pianiste et une jeune femme violoniste.

Les spectateurs sont assis autour de l'étang[1]. Le temps est magnifique, la température idéale, le ciel plein d'étoiles.

Roxane est à côté du professeur d'histoire. Monsieur Lambert regarde la brochure[2] du Puy-du-Fou : les spectacles, les hôtels, les restaurants.

– Vous savez pourquoi je dis que Laura Resnik est un agent secret ? demande Roxane.

– Non.

– Sur une photo du microfilm, il y a des lettres et des numéros : ODF 851706. C'est un code.

– Tu as une bonne mémoire.

– Il y a aussi un plan du parc, avec des signes, des symboles.

– Mais pourquoi un agent secret au Puy-du-Fou ? C'est un parc de loisirs, pas une centrale nucléaire !

– Oui, vous avez raison. Mais il y a une explication... c'est sûr ! Par exemple, les numéros : 85, c'est quoi ?

– Le numéro du département de la Vendée, répond monsieur Lambert.

– Oui... et le 17, le numéro de la chambre des garçons.

– Et 06 ?

---

1. Un étang : petit lac peu profond.
2. Une brochure : petit livre explicatif sur une région, un spectacle...

– R.E.S.N.I.K. Six lettres. Donc, on a trois mots : Vendée, Res-
nik, chambre 17. C'est un code d'identification.
– Et ODF ?
– Ça, je ne sais pas.
Au même moment, à l'hôtel...
– Je vous présente l'inspecteur Leblanc, dit monsieur Michel.
– Enchanté !
– Inspecteur Leblanc, voici monsieur Delage. C'est le respon-
sable technique du parc.
– Bonjour monsieur. Vous savez pourquoi vous êtes ici ?
– Je suis ici à cause du SMS de monsieur Michel : « Pouvez-
vous passer à l'hôtel César SVP ? Très important » mais je ne
sais pas pourquoi.
– Bon. Je vous explique. Nous avons un microfilm. Le microfilm

appartient à un client de l'hôtel mais le client n'est plus là. Dans ce microfilm, il y a beaucoup de choses : des photos, des plans, des indications sur le parc du Puy-du-Fou. Ma question est simple, monsieur Delage, est-ce que le parc a un secret ?

- Ma réponse est très simple, elle aussi, inspecteur : oui !

22 h 30. Il fait enfin nuit. Le spectacle commence. La musique, les lumières... L'étang se transforme en un monde poétique et merveilleux. Des danseurs, avec des costumes magnifiques, avancent sur l'eau autour d'une harpe[3] et d'un piano. Des orgues gigantesques crachent[4] l'eau et le feu.

Roxane regarde les danseurs.

- Comment ils font ? demande-t-elle à Mattéo. C'est incroyable ! Ils dansent sur l'eau.

- Je ne sais pas, répond le garçon. Ils ont peut-être un secret.

- Un secret ?

- Ben oui ! C'est le plus beau parc thématique du monde, Roxane. *Les Orgues de feu* est un spectacle unique.

- Je comprends, dit la jeune fille. Mais pourquoi tu parles d'un secret ?

- C'est comme avec un magicien[5]. Il fait un numéro exceptionnel mais personne[6] ne peut faire son numéro car il a un secret.

Roxane regarde son ami... puis...

- ODF... ODF... Mais oui, c'est ça ! *Les Orgues de feu* ! Le secret du spectacle des *Orgues de feu*... ils veulent savoir comment ils font et voler le secret !

---

3. Une harpe :

4. Cracher : jeter hors de la bouche.

5. Un magicien :

6. Personne : pas une seule personne.

⏸ Activités chapitre cinq

1. *Les Orgues de Feu*. Vrai ou faux ? Coche.

	VRAI	FAUX
a. C'est un spectacle nocturne.	❏	❏
b. C'est une histoire policière.	❏	❏
c. Il y a des danseurs et des musiciens.	❏	❏
d. Il y a une pianiste.	❏	❏
e. Les spectateurs sont dans un théâtre.	❏	❏

2. Le code du microfilm. Réponds aux questions.

a. 85, c'est quoi ? ....

b. 17, c'est quoi ? ....

c. 06, c'est quoi ?...

3. À l'hôtel. Qui parle ?

a. « C'est le responsable technique du parc. »

....

b. « Enchanté ! »

....

c. « Je vous présente l'inspecteur Leblanc. »

....

d. « Pouvez-vous passer à l'hôtel César, s'il vous plaît ? »

....

e. « Est-ce que le parc a un secret ? »

....

4. Sur le microfilm, il y a beaucoup de choses. Qu'est-ce qu'il y a ?
Réponds par : « Oui, il y a... » ou « Non, il n'y a pas... ».

a. Des photos.

....

b. Des danseurs.

....

c. Des lettres.

....

d. Des plans.

....

e. Des indications sur le parc.

....

f. Des films.

....

5. Dans la grille, trouve cinq mots du texte qui ont une relation avec le spectacle *Les Orgues de Feu*.

M	A	L	I	C	E	P	Y	R	E
A	T	T	E	L	P	I	J	O	I
D	O	C	H	O	I	X	U	F	F
A	R	S	C	H	A	R	P	E	I
I	G	E	D	U	N	M	I	T	S
P	U	D	I	B	O	A	T	A	U
F	E	U	B	L	T	L	O	N	Q
A	L	L	E	E	C	A	R	G	O

CHAPITRE SIX

Dimanche matin, 11 heures. Tous les élèves du collège *Les Tournesols* sont devant l'entrée de l'hôtel. Le car est là. Aurélie, la guide, dit au revoir à tout le monde. Elle donne une brochure aux élèves et un souvenir[1] du Puy-du-Fou.
- Vous allez revenir, j'espère ?
- Oh oui, madame ! Il y a beaucoup de choses à voir, ici.
- En effet, dit Aurélie. Et il y a toujours de nouvelles attractions. Le nouveau spectacle, c'est « Les chevaliers de la Table ronde », la légende d'Arthur.
- Il y a aussi la Cinéscénie, ajoute monsieur Lambert.
- Ça, c'est LE grand spectacle ; le plus grand spectacle nocturne du monde : mille deux cents comédiens, cent vingt cavaliers, cent techniciens, deux mille cinq cents projecteurs[2] et cent cinquante jets d'eau[3] de trente mètres de haut... Quatorze mille personnes peuvent assister au spectacle ! Mais le spectacle est seulement entre juin et septembre.
- Tout le monde est prêt ? demande madame Hergé. Nous allons partir.
Une voiture de police arrive. C'est l'inspecteur Leblanc.
Au même instant, le téléphone de Mattéo sonne.
- Allô, chéri ? C'est maman. Tout va bien ?
- Oui, tout va très bien. Nous allons partir. Je ne peux pas te parler, il y a un inspecteur de police à côté de moi.
- Un inspecteur ? Pourquoi la police ?

1. Un souvenir : objet (tasse, sac...) qui permet de se souvenir d'un voyage, d'un lieu...
2. Un projecteur :
3. Un jet d'eau :

– Oh ! C'est une longue histoire... je te raconte ce soir.
Mattéo raccroche.

– Félicitations, jeune homme ! dit l'inspecteur. Grâce à vous,
nous savons qui est Laura Resnik.

– Et son mari ?

– Ce n'est pas son mari. Il s'appelle Richard Fletch. C'est un
complice. Il est ingénieur. Ils travaillent tous les deux pour
une société privée. Ils viennent régulièrement au Puy-du-
Fou depuis un an, avec de faux passeports. Ils changent de
noms et ils ne vont jamais deux fois dans le même hôtel.

– Ce sont des professionnels. Où sont-ils à présent ?

– Je ne sais pas, mais nous avons le microfilm. Il y a beaucoup
de documents : des adresses, des numéros de téléphone, des
photographies, des plans...

– Le plan des « Orgues de Feu », par exemple ? demande
Roxane.

– Oui. Mais comment tu sais ça, jeune fille ?

– C'est simple : ODF 851706. C'est le code sur le microfilm.
ODF égale : *les Orgues de Feu* !

– Bravo ! Tu es très forte.

– Que veulent-ils ? demande Roxane.

– Le secret du spectacle. Le côté technique. Le Puy-du-Fou
est un parc fantastique. Son succès[4], c'est, en partie, grâce au
travail des techniciens. Ce sont des magiciens.

– C'est vrai, dit monsieur Lambert. On regarde les « Orgues
de Feu » et on se demande comment ils font.

– Pour Laura Resnik et Richard Fletch, c'est ça la vraie question : comment ils font ? Ils veulent connaître le secret et le
vendre dans un autre pays.

Un homme arrive. Il se présente : c'est le directeur général du

4. Un succès : excellent résultat.

Parc. Il parle quelques minutes avec l'inspecteur Leblanc et les professeurs du collège. Monsieur Lambert regarde les élèves avec un grand sourire.

– S'il vous plaît, les enfants, dit-il, je vous demande un moment de silence. Le directeur du Parc va vous parler.

– Jeunes gens, au nom de toute l'équipe du Puy-du-Fou, je vous remercie. Vous allez partir pour la Belgique, retrouver votre famille. J'attends votre retour. Vous voulez revenir un jour au Parc ?

– Ouiiiiiiiiii !

– Alors... je vais vous faire un cadeau. J'offre à toute la classe une place pour le spectacle de la Cinéscénie au mois de juin !

– Formidable ! dit Roxane. Ça va être super !

Activités chapitre six

1. Qui parle ? Réponds.

a. « Vous allez revenir, j'espère ? »...

b. « Il y a aussi la Cinéscénie. » ....

c. « Tout le monde est prêt ? » ....

d. « Allô, chéri ? Tout va bien ? » ....

e. « Félicitations, jeune homme ! » ....

f. « Et son mari ? » ....

2. Vrai ou faux ? Coche.

	VRAI	FAUX
a. Aurélie offre un prix aux élèves.	❏	❏
b. Les élèves partent : c'est lundi matin.	❏	❏
c. Une voiture de police arrive.	❏	❏
d. L'inspecteur Leblanc veut parler aux jeunes.	❏	❏
e. Il n'est pas content.	❏	❏

3. La cinéscénie. Relie les chiffres et les mots.

a. 1 200   •   • 1. techniciens.

b. 120   •   • 2. comédiens.

c. 100   •   • 3. jets d'eau.

d. 2 500   •   • 4. spectateurs.

e. 150   •   • 5. cavaliers.

f. 14 000   •   • 6. projecteurs.

4. Réponds aux questions.

a. Que veut dire ODF ?

....

b. Richard Fletch est le mari de Laura Resnik ?

....

c. Qui a de faux passeports ?

....

d. Que cherchent Richard Fletch et Laura Resnik ?

....

e. Qui offre une place à toute la classe pour le spectacle de la cinéscénie ?

....

5. Lis les phrases. Coche les bonnes réponses.

a. Le directeur du Parc...

1. va faire un cadeau aux élèves. ❑

2. va prendre un café avec les professeurs. ❑

3. va parler au chauffeur du car. ❑

b. L'inspecteur Leblanc...

1. parle avec monsieur Lambert. ❑

2. parle avec Mattéo. ❑

3. parle avec le directeur de l'hôtel. ❑

c. Roxane...

1. connaît le code du microfilm. ❑

2. connaît le secret du Parc. ❑

3. connaît Richard Fletch. ❑

6. Réponds aux questions.

a. Le spectacle de la Cinéscénie est toute l'année ?

....

b. Les élèves du collège *Les Tournesols* vont voir le spectacle en juillet ?

....

1. Est-ce que tu aimes les parcs de loisirs ? **Oui ? Non ? Pourquoi ?**

2. Au Puy-du-Fou, il y a les mousquetaires de Richelieu, les Vikings, les Romains... **Est-ce que tu aimes les spectacles historiques ?**

3. En Histoire, quelle est ton époque préférée ? **Pourquoi ?**

4. Est-ce qu'il y a un parc de loisirs dans ton pays ? **Comment est-ce qu'il s'appelle ?**

5. Est-ce que tu peux donner le nom d'un parc d'attraction célèbre, en France ou dans le monde ? **Tu le connais ?**

6. Est-ce que tu vas voir, avec tes parents ou des amis, des spectacles ? **Danse ? Théâtre ? Musique ? Opéra ? Cirque ?**

7. Pendant l'année scolaire, est-ce que tu fais des sorties avec ta classe ? **Où est-ce que vous allez ?**

JEU DE RÔLES POUR DEUX PERSONNES
Tu gagnes deux voyages et deux places au Puy-du-Fou.
Tu proposes à ton ami(e) de venir avec toi.

JEU DE RÔLES POUR QUATRE PERSONNES
Léo, Théo et Khalil félicitent Mattéo pour son rôle
dans un spectacle de fin d'année à l'école.

Écris

1. Imagine le thème d'un chapitre 7. Que fait l'inspecteur Leblanc après le départ des élèves ? Donne un titre au chapitre.

....

....

....

....

....

....

2. Tu es dans la chambre d'un hôtel. Tu trouves un objet précieux (une belle montre, un bijou) ? Qu'est-ce que tu fais ? Raconte.

....

....

....

....

....

....

3. Mattéo et Roxane sont des amis. Décris ton meilleur ami ou ta meilleure amie. Qu'est-ce qu'il/elle aime ou n'aime pas ?

....

....

....

....

....

....

....

Test final : ? Tu as tout compris ?

Réponds, regarde les solutions et compte tes points.

1. Le collège *Les Tournesols* est...

a. à Bruxelles...❏

b. à Paris...❏

c. au Puy-du-Fou..❏

2. le Puy-du-Fou, c'est...

a. un spectacle. ....❏

b. un parc de loisirs. ....❏

c. une ville. ....❏

3. Dans la chambre de l'hôtel du Puy-du-Fou, Mattéo trouve...

a. un microfilm. ....❏

b. une lettre. ....❏

c. un porte-monnaie. ....❏

4. Qui est Laura Resnik ?

a. La femme de Richard Resnik. ....❏

b. Un agent secret. ....❏

c. Une touriste. ....❏

5. Richard Fletch est...
a. un garçon d'hôtel. ....❏
b. le directeur de l'hôtel. ....❏
c. le complice de Laura Resnik. ....❏

6. Roxane découvre...
a. le microfilm. ....❏
b. le code. ....❏
c. le secret du Puy-du-Fou. ....❏

7. Le spectacle des *Orgues de Feu* se passe...
a. sur l'eau. ....❏
b. dans un théâtre. ....❏
c. dans le ciel. ....❏

8. Monsieur Delage est...
a. le responsable technique du parc. ....❏
b. un inspecteur de police. ....❏
c. un guide. ....❏

9. L'inspecteur Leblanc...
a. arrête Laura Resnik. ....❏
b. arrête Richard Fletch. ....❏
c. n'arrête personne. ....❏

10. La classe revient au Puy-du-Fou...
a. l'année prochaine. ....❏
b. au mois de juin. ....❏
c. en juillet. ....❏

La vendée

1. La vendée. Réponds.

a. Quelle photo représente la Vendée ? Coche.

1. ☐   2. ☐

b. Regarde la carte. Quelle est la principale ville de la Vendée ?

....

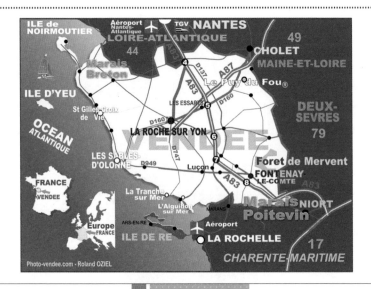

c. Il y a une ville importante près de la mer. Elle s'appelle comment ?

....

d. Comment s'appellent les habitants de la Vendée ? Coche.

1. Les Vénitiens. ❏

2. Les Vendéens. ❏

3. Les Varois. ❏

2. En Vendée, la principale activité économique, c'est...

a. l'industrie. ❏

b. la pêche. ❏

c. le tourisme. ❏

3. Quelle image a une relation avec le Puy-du-Fou ? Coche.

a. ❏   b. ❏

c. ❏

Solutions

Prépare la lecture : Activité 1 : b **Activité 2 : a.** 1 - **b.** 3 **Activité 3 : a.** Bruxelles. - **b.** français / allemand. **Activité 4 :** b
■**Chapitre 1 : Activité 1 : a.** *Les Tournesols.* - **b.** Vendredi. - **c.** Le professeur d'histoire. - **d.** À 8 heures. ■ **Activité 2 : a.**
faux - **b.** faux - **c.** vrai - **d.** vrai - **e.** faux ■ **Activité 3 :** douze - blond - Bruxelles - mesure - les yeux - fais ■ **Activité 4 : a.** 4
- **b.** 3 - **c.** 2 - **d.** 1 ■ **Activité 5 : a.** est long - **b.** manger - **c.** écouter de la musique - **d.** le pique-nique ■ **Activité 6 : a.** Il
est noir. - **b.** Il vient du Congo - **c.** Il vit en Belgique. - **d.** Il aime la photographie. ■ **Activité 7 : a.** long - **b.** matin - **c.** premier
- **d.** peu ■ **Chapitre 2 : Activité 1 a.** Ils sont dans le hall de l'hôtel. - **b.** Ils se retrouvent avec les professeurs. - **c.** Ils
sortent du spectacle. - **d.** Ils dînent. ■ **Activité 2 : a.** Il y a quatre lits individuels, un bureau, une armoire... - **b.** Il y a une
douche, un W-C, un lavabo… ■ **Activité 3 : a.** vrai - **b.** vrai - **c.** faux - **d.** vrai ■ **Activité 4 : a.** Non, il est à 500 m du parc.
- **b.** Soixante. - **c.** Au premier étage. - **d.** Quatre. ■ **Activité 5 : a.** 3 - **b.** 1 - **c.** 2 - **d.** 5 - **e.** 4 - **f.** 6 ■ **Activité 6 : a.** 1 Il est
quatre heures et demie. / 2 Il est huit heures. - **b.** 1 zéro six / 2 dix-sept / 3 quatre-vingt-cinq ■ **Chapitre 3 Activité 1 :**
a. Aurélie. - **b.** Trois mille. - **c.** *Les mousquetaires de Richelieu.* - **d.** Au XVIIᵉ siècle. - **e.** Un auteur français.
■ **Activité 2 : a.** Non, elle est brune. - **b.** Non, elle a les cheveux courts. - **c.** Oui, elle porte un blouson. - **d.** Non, elle a
des baskets. - **e.** Oui, elle est étrangère, elle a un petit accent. - **f.** Non, pour la 2ᵉ fois. ■ **Activité 3 : a.** faux - **b.** vrai - **c.**
faux - **d.** faux - **e.** vrai ■ **Activité 4 : Horizontalement :** rideau - places - robes / **Verticalement :** danse - scène ■ **Activité**
5 : a. 2 - **b.** 5 - **c.** 1 - **d.** 4 - **e.** 3 ■ **Chapitre 4 Activité 1 : a.** 3 - **b.** 2 - **c.** 3 - **d.** 1 ■ **Activité 2 : a.** Le directeur de l'hôtel. -
b. Cédric. - **c.** La dame qui s'assoit à côté de Mattéo pendant le spectacle. - **d.** Richard Resnik. ■ **Activité 3 : a.** 3 - **b.** 1
- **c.** 2 - **d.** 5 - **e.** 4 ■ **Activité 4 : a.** À Roxane. - **b.** À Mattéo. - **c.** À Roxane. - **d.** À Théo. - **e.** À Mattéo. ■ **Activité 5 : a.** Cédric.
- **b.** Monsieur Michel. - **c.** Monsieur Lambert. - **d.** Khalil. - **e.** Monsieur Michel. ■ **Activité 6 :** Oui, parce qu'elle montre le
microfilm. ■ **Chapitre 5 Activité 1 : a.** vrai - **b.** faux - **c.** vrai - **d.** faux - **e.** faux ■ **Activité 2 : a.** Le numéro de la Vendée. -
b. Le numéro de la chambre des garçons. - **c.** Les six lettres du nom RESNIK. ■ **Activité 3 : a.** Monsieur Michel. - **b.** Monsieur Delage. - **c.** Monsieur Michel. - **d.** Monsieur Delage. - **e.** L'inspecteur Leblanc. ■ **Activité 4 : a.** Oui, il y a des photos.
- **b.** Non, il n'y a pas de danseurs. - **c.** Non, il n'y a pas de lettres. - **d.** Oui, il y a des plans. - **e.** Oui, il y a des indications
sur le parc. - **f.** Non, il n'y a pas de films. ■ **Activité 5 : Horizontalement :** harpe - feu / **Verticalement :** orgue - piano -
étang ■ **Chapitre 6 Activité 1 : a.** Aurélie. - **b.** Monsieur Lambert. - **c.** Madame Hergé. - **d.** La mère de Mattéo. - **e.** L'inspecteur Leblanc. - **f.** Mattéo. ■ **Activité 2 : a.** faux - **b.** faux - **c.** vrai - **d.** vrai ■ **Activité 3 : a.** 2 - **b.** 5 - **c.** 4 - **d.** 1 - **d.** 6
- **e.** 3 - **f.** 4 ■ **Activité 4 : a.** Orgues de Feu. -**b.** Non, il travaille avec elle. - **c.** Richard Fletch et Laura Resnik. - **d.** Le secret
du Parc. - **e.** Le directeur du Parc. ■ **Activité 5 : a.** 1 - **b.** 2 - **c.** 1 ■ **Activité 6 : a.** Non, il est entre juin et septembre. - **b.**
Non, ils vont le voir en juin. ■ **Test final : Tu as tout compris : 1.** a - **2.** b - **3.** a - **4.** b - **5.** c - **6.** b **7.** a - **8.** a - **9.** c - **10.** b
■ **Découvre Activité 1 : a.** 2 - **b.** La Roche-sur-Yon - **c.** Les Sables d'Olonne. - **d.** 2 ■ **Activité 2 : c** ■ **Activité 3 : a.** ■

Achevé d'imprimer en France en octobre 2020
sur les presses de Estimprim
N° de projet : 10268791
Dépôt légal : septembre 2013

Le papier de cet ouvrage est composé de fibres naturelles,
renouvelables, fabriquées à partir de bois provenant
de forêts gérées de manière responsable.